Merci à Huguette et Arthur (Olivia et Ben),

et à Richard Langlois

Nous remercions le Conseil des Arts du Canada de l'aide
accordée à notre programme de publication et la SODEC
pour son appui financier en vertu du programme d'aide aux
entreprises du livre et de l'édition spécialisée.

Traduit de l'anglais par Daniel Shelton
Cet ouvrage a été publié sous la direction de Richard Houde
Mise en pages et production: Scripto
Révision et correction: Gaétane Michaud, Marie Michaud
et Monelle Gélinas

Diffusion au Canada:
Diffusion Dimedia Inc.
539, boulevard Lebeau
Saint-Laurent (Québec)
H4N 1S2
TÉLÉPHONE: (514) 336-3941
TÉLÉCOPIEUR: (514) 331-3916

© Daniel Shelton
& les Éditions Mille-Îles ltée
1975, boul. Industriel
Laval (Québec)
H7S 1P6

Dépôt légal: 2e trimestre 1998
Bibliothèque nationale du Québec
Bibliothèque nationale du Canada

ISBN 2-920993-88-7

PRÉFACE

Auteur complet à titre de dessinateur-scénariste et doué d'une grande virtuosité graphique, Daniel Shelton fait partie de nos meilleurs représentants québécois du 9e art dans sa tradition la plus classique. Il est aussi un des rares bédéistes de chez nous à être lus par des milliers de gens, car sa bande dessinée **Ben** est publiée dans des grands quotidiens à travers tout le pays et aux États-Unis. Ce "family-strip" traite des aînés par l'intermédiaire d'un personnage sympathique, nouvellement retraité. Avec son épouse Olivia, Ben nous fait découvrir avec beaucoup d'humour des situations que vivent tous les membres d'une famille à un moment de leur vie. On s'attache rapidement aux personnages en partageant leur café matinal, en regardant leurs émissions de télévision et en magasinant avec eux. On est loin de ces images stéréotypées des gens de l'âge d'or qui semblent abandonnés et malheureux. Unique en son genre, cette bande dessinée s'adresse à tous ceux et celles qui veulent rester jeunes de coeur.

Avec **Ben**, Shelton vise le plus grand public possible. Pour atteindre cet objectif, il s'inspire de sa propre famille et de toutes les familles du monde. Shelton utilise les codes de la bande dessinée de façon efficace et les exploite avec une judicieuse économie dans le dessin et les décors dépouillés à l'extrême. La première publication de **Ben** en français parut dans *La Tribune* de Sherbrooke en juin 1997; depuis cette date mémorable, son public et sa popularité ne font que grandir de jour en jour. L'impressionnant talent d'illustrateur de Shelton est sollicité par de grandes agences de publicité dans toute l'Amérique du Nord. Mais c'est la bande dessinée qui lui permet d'exprimer sans contrainte commerciale toute sa créativité.

Richard Langlois

POUR LORINA

DANIEL SHELTON

Mise en couleurs:
Lorina Mapa

COUP DE GRIFFE
MILLE ÎLES

J'PEUX PAS CROIRE QUE J'AI PRIS MA RETRAITE VENDREDI DERNIER.

TRENTE-CINQ ANS DE TRAVAIL, TOUS LES JOURS, CINQ JOURS PAR SEMAINE...

J'PEUX PAS CROIRE QUE JE N'ÉTAIS PAS OBLIGÉ DE ME LEVER CE MATIN.

J'PEUX PAS CROIRE QUE JE VIENS JUSTE DE LE RÉALISER!

HONK HONK HONK HONK

WOW! QUELLE ÉTRANGE SENSATION... RETRAITÉ APRÈS TRENTE-CINQ ANS DE TRAVAIL!

J'AI TOUTE LA JOURNÉE DEVANT MOI... QUOI FAIRE? OÙ ALLER?

J'AI PASSÉ TOUTE MA VIE À ATTENDRE ÇA... ET MAINTENANT?

Z

7:00   7:00   7:01

VOICI UN ARTICLE INTÉRESSANT...

C'EST ÉCRIT QU'EN VIEILLISSANT, LES OREILLES ET LE NEZ CONTINUENT DE POUSSER ET N'ARRÊTENT JAMAIS DE GROSSIR.

ET ALORS?

EH BIEN, C'EST UNE BONNE CHOSE QUE NOTRE VISION DIMINUE EN MÊME TEMPS.

7

MERCI D'AVOIR GARDÉ NICOLAS AUJOURD'HUI, MAMAN !

EN FAIT, J'ÉTAIS SORTIE UNE BONNE PARTIE DE LA JOURNÉE.

C'EST TON PÈRE QUE TU DEVRAIS REMERCIER !

AH OUI, EN PASSANT...

IL VEUT SAVOIR SI VOUS PENSEZ EN AVOIR UN DEUXIÈME...

INCROYABLE, NON ?

MMM ? QUOI DONC ?

NOUS ! TOI ET MOI ! ENCORE ENSEMBLE APRÈS TOUTES CES ANNÉES !

QU'EST-CE QUE TU IMAGINAIS QUAND ON S'EST MARIÉS IL Y A TRENTE-CINQ ANS ?

JE ME SUIS TOUJOURS IMAGINÉ QUE J'AURAIS ENCORE MES CHEVEUX...

J'PEUX PAS CROIRE QUE J'AI VOYAGÉ TOUS LES JOURS PENDANT 35 ANS POUR ALLER TRAVAILLER.

TOUJOURS DU TRAFIC !

ET MAINTENANT QUE J'AI PRIS MA RETRAITE...

...RIEN N'A CHANGÉ.

OH NON ! MA MÈRE !

HUM... IL A ÉTÉ TROP RAPIDE POUR MOI...

TIENS, ASSIEDS-TOI CONFORTABLEMENT... VOICI TA CEINTURE...

...ET TON CASQUE ...

PRÊT ? ALLONS-Y !

IL VOULAIT VENIR FAIRE UN TOUR.

QUAND J'ÉTAIS JEUNE, LES CHOSES ÉTAIENT PLUS SIMPLES... LES RÔLES DES HOMMES ET DES FEMMES ÉTAIENT MIEUX DÉFINIS...

AUJOURD'HUI, TOUT EST MÉLANGÉ. LA LIGNE ENTRE LES DEUX EST MOINS CLAIRE !

QU'EST-CE QUE TU VEUX DIRE ?

ENCORE CINQ, QUATRE, TROIS --

ENCORE DEUX -- CLIK

QU'EST-CE QUE TU FAIS, CHÉRI ?

JE RÈGLE LE MAGNÉTO-SCOPE AU RALENTI !

TU POURRAIS PEUT-ÊTRE FAIRE CHANGER TA PRESCRIPTION...

POUR-QUOI ?

Panel 1: NICOLAS N'EST PAS DE BONNE HUMEUR AUJOURD'HUI !

Panel 2: JE NE SAIS PLUS QUOI FAIRE !

Panel 3: C'EST BEAU, J'VAIS LE PRENDRE !

Panel 4: J'SUIS DUR D'OREILLE.

Panel 5: MAMAN, COMMENT AS-TU FAIT POUR CONVAINCRE PAPA DE FAIRE LE LAVAGE TOUT LE TEMPS ?

Panel 6: JE LUI AI DIT QU'IL POURRAIT GARDER TOUT CE QU'IL TROUVERAIT.

Panel 7: DEPUIS CE TEMPS-LÀ, JE M'ASSURE DE LAISSER CINQ SOUS DANS MES POCHES...

Panel 8: REGARDE MA PLANTE "CHIA"! C'EST SI JOLI, ON DIRAIT UN CHAT... HUH?

Panel 9: APRÈS AVOIR SEMÉ DES GRAINES, JE LES AI ARROSÉES, ET ON DIRAIT DE LA FOURRURE !

MERCI, YVON.

PAS DE PROBLÈME.

...AUSSITÔT QUE VOUS AUREZ REÇU CETTE LETTRE, FAITES-EN DIX COPIES ET ENVOYEZ-LES À VOS AMIS, SINON LE MALHEUR VOUS SUIVRA.

BALI-VERNES...

MAIL

JIGGLE JIGGLE

ÇA ME RAPPELLE NOS PIQUE-NIQUES ROMANTIQUES AU BORD DU LAC.

AAAAH OUI.

ON SE SENTAIT SI LIBRES... ON POUVAIT PASSER TOUT L'APRÈS-MIDI À RIEN FAIRE !

MAIS BIEN SÛR, TOUT ÇA, C'ÉTAIT AVANT D'AVOIR DES ENFANTS.

OU DES P'TITS-ENFANTS...

BBRRRRTT

C'EST UNE BELLE JOURNÉE! TU DEVRAIS JOUER DEHORS AVEC NICOLAS.

MAIS...LE BASE-BALL !

BON... D'ACCORD...

--ET FRAPPANT AU DÉBUT DE LA TROISIÈME MANCHE, VOICI SPIKE LANGLEY

REGARDE ICI. QUAND TU ES NÉ, GRAND-MAMAN ET MOI AVONS PLANTÉ CET ARBRE...

ET TOUS LES DEUX, VOUS ALLEZ GRANDIR ENSEMBLE !

...OU PEUT-ÊTRE PAS.

ARRRHEUUUU

...Y'A QUE DU CAFÉ POUR M'AIDER À PARTIR CE MATIN...

Z

Z

SPLAP

TIENS... IL ME SEMBLE QUE JE RESSENS DÉJÀ DE L'ÉNERGIE DANS MES PIEDS !

COMMENT VA TON COURS DE PEINTURE ?

BIEN, LINDA.

IL S'AGIT DE LA 3e LEÇON...

..."PEINDRE UNE NATURE MORTE."

Z

OLIVIA, J'VAIS MARCHER UN PEU !

ATTENDS, CHÉRI !

PEUX-TU ACHETER DU LAIT ? ET POURRAIS-TU LAISSER MA BLOUSE À LA BUANDERIE ?

OH ! ET N'OUBLIE PAS, ON A BESOIN DE TIMBRES !

QU'EST-CE QUE TU FAIS ? TU NE VAS PAS FAIRE TA PROMENADE ?

J'SUIS TROP FATIGUÉ...

YAAARK ! ...

ARRÊTE ÇA !

TOUT ÇA, C'EST BON POUR TOI ET ÇA VA T'AIDER À GRANDIR !

TIENS, CHÉRI.

MERCI.

YAARK.

QUELLE BELLE JOURNÉE ! J'ADORE LA RETRAITE ! J'AI TOUTE LA JOURNÉE DEVANT MOI.

BONNE JOURNÉE DE TRAVAIL ! MOI, JE SUIS À LA RETRAITE !

AAAAH ! QUELLE LIBERTÉ !

BEN, TU VAS DEVOIR TAILLER LA HAIE ENCORE UNE FOIS !

POURQUOI? ELLE ME SEMBLE PARFAITE!

JE NE SUIS PLUS CAPABLE DE VOIR DANS LA MAISON DES VOISINS !

BEAU TRAVAIL, BEN.

MERCI.

C'EST DOMMAGE, ÇA NE POUSSE PLUS LÀ ...

UM...EH BIEN... IL Y A CERTAINES CHOSES QU'ON DOIT ACCEPTER ...

ÇA M'AGAÇAIT BEAUCOUP AVANT ! J'AI TOUT ESSAYÉ, MAIS RIEN NE POUSSAIT... AUJOURD'HUI, ÇA ME PRÉOCCUPE BEAUCOUP MOINS ...

JE VOULAIS PARLER DE TON GAZON.

OH... OK !

RIEN NE SE COMPARE À LA VIANDE GRILLÉE SUR LE FEU !

POURQUOI LES HOMMES HÉSITENT-ILS À CUISINER À L'INTÉRIEUR, MAIS PAS À L'EXTÉRIEUR ?

JE PENSE QUE C'EST NATUREL DE FAIRE RÔTIR LA VIANDE SUR LE FEU. ÇA FAIT PARTIE DE NOTRE INSTINCT PRIMITIF !

TU AS RAISON...

J'AI TOUJOURS CRU QUE LES HOMMES ÉTAIENT MOINS ÉVOLUÉS!

MERCI DE TA VISITE, STÉPHANE ! ÇA FAIT QUELQUE TEMPS QUE J'AI VU UN COLLÈGUE DU BUREAU.

ÇA ME FAIT PLAISIR !

TOUT VA BIEN ! NOUS AVONS TROIS NOUVEAUX CLIENTS ET ON PARLE D'AGRANDIR LE BUREAU --

LAISSE TOMBER ! DIS-MOI CE QUI EST VRAIMENT IMPORTANT !

EST-CE QUE MARIO ET ANNE SORTENT ENCORE ENSEMBLE ? HÉLÈNE A-T-ELLE LAISSÉ SON MARI ?

LAURA A-T-ELLE EU SA CHIRURGIE PLASTIQUE ?

ALORS, COMMENT VA TOUT LE MONDE AU BUREAU ?

TOUT LE MONDE VA BIEN.

PAR CONTRE, MAINTENANT QUE TU ES À LA MAISON TOUS LES JOURS, NOUS SOMMES TOUS ASSEZ PRÉOCCUPÉS...

MERCI !

...POUR OLIVIA.

ALORS, COMMENT VONT LES CHOSES AU BUREAU DEPUIS MA RETRAITE ?

TOUT VA BIEN ! ON A CHERCHÉ LONGTEMPS AVANT DE REMPLIR TON POSTE !

ON NE PEUT REMPLACER TOUTES TES ANNÉES D'EXPÉRIENCE PAR N'IMPORTE QUI !

EH BIEN '''

C'EST POUR ÇA QU'ON A ACHETÉ UN ORDINATEUR.

DÉSOLÉE D'ÊTRE EN RETARD... NOUS AVONS EU TOUT UN WORK-OUT AUJOURD'HUI !

MMM ...

AS-TU COMMENCÉ LE SOUPER ?

OUAIS ...

QU'EST-CE QUE T'AS FAIT ?

UN APPEL ...

QUAND J'ÉTAIS GARÇON, IL Y AVAIT UN RUISSEAU À CÔTÉ DE LA MAISON... IL N'Y A RIEN COMME LE SON DE L'EAU QUI COULE POUR M'ENDORMIR !

ATTENDS UNE MINUTE.

FLUSH

BONNE NUIT, CHÉRI...

FSSSSSSHHHHHH

VENEZ ! LE DÎNER EST SERVI...

D'ACCORD !

GNNN ! CETTE BARRIÈRE EST ENCORE COINCÉE !...

HMFF !

OWW ! MON DOS !

REGARDE, NICOLAS ! LE PETIT OISEAU PREND SON BAIN !

TOUT COMME TOI, LES OISEAUX AUSSI DOIVENT PRENDRE UN BAIN !

MERCI ENCORE D'AVOIR GARDÉ NICOLAS, PAPA !

G'AND-MAMAN ?

OUI, CHÉRI ?

ASSIS ! ASSIS !

OH ! BIEN SÛR, MON AMOUR ! AVEC PLAISIR...

MAMAN, TU GÂTES ENCORE NICOLAS !

NE SOIS PAS RIDICULE, S'ASSEOIR SUR LE CIMENT, C'EST BON POUR LES FESSES...

JE VAIS ATTACHER TA CEINTURE ET ON VA PARTIR.

ALORS, DÉTENDS-TOI...

...ET ADMIRE LE DÉCOR NATUREL !

BEN, JE DOIS PARTIR POUR MON COURS DE DESSIN!

MAIS... LE SOUPER?

JE T'AI LAISSÉ UN REPAS SURGELÉ.

MAIS...

BYE!

JE SAIS BIEN QU'UNE ARTISTE DOIT SOUFFRIR POUR SON ART...

... MAIS PERSONNE NE PENSE AU MARI DE L'ARTISTE... YARK!

CE SOIR, AU COURS, NOUS ALLONS DESSINER UN MODÈLE VIVANT!

STÉPHANE, TU PEUX ENLEVER TES VÊTEMENTS, S.V.P.

...

PARDON MADAME, MAIS IL NE S'AGIT PAS D'UN EXERCICE D'IMAGINATION...

OH MON DIEU... IL Y A UN HOMME NU ASSIS LÀ DEVANT MOI À QUELQUES PIEDS!

JE NE SAVAIS PAS QUE CE COURS DE DESSIN COMPRENAIT DU MODÈLE VIVANT...

PEUT-ÊTRE QU'IL A TERMINÉ SA POSE... IL S'EST PEUT-ÊTRE RHABILLÉ...

SALUT! PUIS-JE VOIR VOTRE DESSIN, MADAME?

EEEEK!

JE VOIS QUE VOUS ÊTES UN PEU ANXIEUSE DE DESSINER UN MODÈLE VIVANT...

JE N'AI JAMAIS DESSINÉ D'HOMME NU.

LE CORPS HUMAIN EST D'UNE GRANDE BEAUTÉ...

C'EST UN CHEF-D'ŒUVRE, UNE SCULPTURE VIVANTE !

C'EST VRAI QUE SA POITRINE EST ASSEZ BIEN SCULPTÉE...

COMMENT ÉTAIT TON COURS DE DESSIN ?

BIEN, ON FAISAIT DU MODÈLE VIVANT...

LE MODÈLE, C'ÉTAIT UN HOMME... NU...

QUOI ?

EN FAIT, IL N'ÉTAIT PAS COMPLÈTEMENT NU.

REGARDE, IL PORTAIT UNE BOUCLE D'OREILLE...

EN TOUT CAS, TU NE POURRAS PAS DIRE QUE JE NE T'ENCOURAGE PAS...

J'PEUX PAS DORMIR! J'AI ESSAYÉ SUR LE VENTRE, SUR LE DOS...

...SUR LE CÔTÉ GAUCHE ET SUR LE CÔTÉ DROIT!

J'AI TOUT ESSAYÉ! QU'EST-CE QU'IL RESTE?

SUR LE DIVAN!

LE TEMPS EST SI PRÉCIEUX! J'AURAIS DÛ PASSER PLUS DE TEMPS AVEC LES ENFANTS...

TU AS UNE SECONDE CHANCE AVEC TON PETIT-FILS!

NE FAIS PAS LA MÊME ERREUR.

J'AI CHANGÉ D'IDÉE ...

L'AVANTAGE DE GARDER NICOLAS L'APRÈS-MIDI, C'EST QUE QUAND IL FAIT DODO...

Z

...MOI AUSSI, J'PEUX FAIRE LA SIESTE.

C'EST COMME LE JOGGING...C'EST PLUS MOTIVANT QUAND ON EST DEUX.

C'EST L'HALLOWEEN ET J'N'AI PAS EU LE TEMPS DE RAMASSER LES FEUILLES ...

SHELTON

QU'EST-CE QUE TU DIRAIS SI J'ALLAIS PASSER L'HALLOWEEN AVEC NICOLAS AVANT QUE TU RETOURNES CHEZ TOI ?

OK, PAPA, QUELLE BONNE IDÉE !

MAIS IL NE PEUT PAS MANGER DE BONBONS AVANT LE SOUPER.

JE SAIS...

SHELTON

BON, ATTENDS ICI ET ON VA TE DONNER DES BONBONS ...

DING DONG

WAAAAAAAAAA!

OOH ! NE PLEURE PAS, MON CHOU. TIENS, PRENDS TOUT ÇA ...

INCROYABLE ! QUELLE TECHNIQUE !

GA!

SHELTON

PUISQUE TU ES MALADE, JE T'AI PRÉPARÉ À DÎNER !

MERCI, BEN.

BIEN... C'EST GENTIL ! MAIS JE NE PENSE PAS POUVOIR APPRÉCIER TON EFFORT...

J'PEUX PAS GÔUTER ET J'PEUX PAS SENTIR !

MAIS MALHEUREUSEMENT, J'PEUX ENCORE VOIR ...

ON DIRAIT QUE TU VAS MIEUX M'MAN...

ÇA FAIT DU BIEN DE NE PLUS ÊTRE AU LIT !

LA SEMAINE A ÉTÉ DIFFICILE, MAIS TON PÈRE M'A TELLEMENT AIDÉE...

...IL ÉTAIT TOUJOURS À MES CÔTÉS...

J'AURAIS DÛ ÊTRE PLUS LOIN !

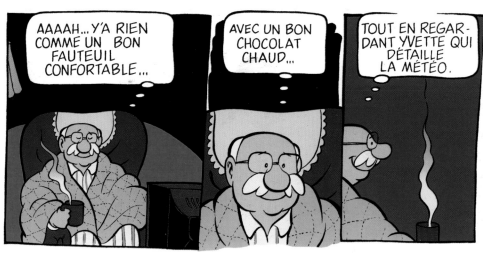

AAAAH...Y'A RIEN COMME UN BON FAUTEUIL CONFORTABLE...

AVEC UN BON CHOCOLAT CHAUD...

TOUT EN REGARDANT YVETTE QUI DÉTAILLE LA MÉTÉO.

MÊME UN OURAGAN SEMBLE PLAISANT QUAND C'EST ELLE QUI EN PARLE.

LES GENS AIMENT L'AUTOMNE POUR DES RAISONS BIEN DIFFÉRENTES.

Y EN A QUI PRÉFÈRENT LES COULEURS, D'AUTRES, C'EST LA SAISON DE FOOTBALL ...

POUR MOI, Y'A UNE AUTRE RAISON ...

...C'EST LE DÉBUT DE LA SAISON DU CHOCOLAT CHAUD !

SHELTON

AVANT MA RETRAITE, J'AVAIS LE MÊME PATRON DEPUIS VINGT ANS. CELUI-LÀ, IL NE ME MANQUE PAS DU TOUT !

TOUJOURS À ME DONNER DES ORDRES... PAR ICI, PAR LÀ !

CHÉRI ! FINIS DE RATISSER, TU DOIS ENCORE M'AIDER DANS LA CUISINE !

OK, J'ARRIVE ...

EN TOUT CAS, J'SUIS CONTENT DE NE PLUS AVOIR DE PATRON.

SHELTON

ALLO ?

BONJOUR M. HATLEY ! ICI LA COMPAGNIE DE TÉLÉPHONE DELL !

J'AIMERAIS VOUS EXPLIQUER COMMENT ÉCONOMISER 50 % SUR VOS APPELS INTERURBAINS, 25 % SUR VOS FRAIS DE SERVICE ET 10 % SUR VOS APPELS LOCAUX ET--

BLAH BLAH BLAH BLAH BLAH CLIK

YANK

VOILÀ, MAINTE-NANT J'PEUX ÉCONOMISER 100 % !

SHELTON

IL Y AVAIT UNE VENTE AU MAGASIN POUR TOUS LES CLIENTS DE 60 ANS ET PLUS !

POURQUOI ES-TU SI HEUREUSE ?

ON M'A DEMANDÉ MES CARTES !

TU MANGES TOUT SEUL COMME UN GRAND GARÇON ?

ET TU AS PRESQUE FINI !

J'VAIS ALLER PRÉPARER TON DESSERT...

STUFF STUFF

HÉ, ATTENDS UNE SECONDE ! TU AS ENFOUI TOUT TON REPAS DANS TES POCHES !

J'OSE PAS DEMANDER...

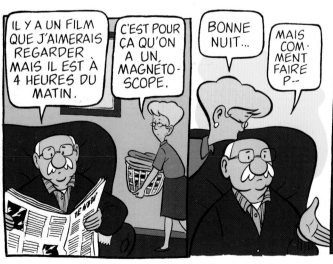

IL Y A UN FILM QUE J'AIMERAIS REGARDER MAIS IL EST À 4 HEURES DU MATIN.

C'EST POUR ÇA QU'ON A UN MAGNÉTO-SCOPE.

BONNE NUIT...

MAIS COMMENT FAIRE P--

INSTRUCTIONS

TU PARLES À NICOLAS ?

OUI..., IL EST SI MIGNON ! IL M'A DIT : "JE T'AIME G'AND-M'MAN !"

LAISSE-MOI LUI PARLER.

TIENS.

ALLO, MON PETIT ! ÇA VA BIEN ?

EST-CE QUE TU VIENS VOIR G'AND-PAPA DEMAIN, HMM ? TU ME MANQUES DÉJÀ !

JE T'AIME ET JE T'EMBRASSE !

CHÉRI, ON DIRAIT QUE TU AS PLUS DE POILS DANS LES OREILLES QU'AVANT !

ET ALORS ?

EH BIEN, C'EST PIRE QUE J'PENSAIS...

J'VOIS PLUS DE L'AUTRE CÔTÉ, COMME AVANT !

TICK TICK TICK

SPROING

J'AVAIS FROID AUX PIEDS...

AIMES-TU LE FILM, CHÉRI ?

OUI...

QUELLE BELLE SOIRÉE, TOUS LES DEUX COMME ÇA, À REGARDER UN FILM ENSEMBLE... C'EST SI ROMANTIQUE !

J'ME DEMANDE SI BEN PENSE COMME MOI...

J'ME DEMANDE S'IL N'EST PAS TROP TARD POUR SE FAIRE LIVRER UNE PIZZA...

REGARDE NICOLAS, J'AI BÂTI UNE PETITE VOITURE !

LA VOILÀ QUI ROULE : VROUM VROUM...

QU'EST-CE QUE T'EN PENSES, CHÉRIE ?

C'EST BEAU...

MAIS POURRAIS-TU ME DONNER CES TROIS MORCEAUX, QUE JE FINISSE MON NAVIRE DU 17e SIÈCLE ?

BONJOUR, LINDA.

M'MAN, TU AS L'AIR SI FATIGUÉE !

TON PÈRE A RONFLÉ TOUTE LA NUIT ! J'AI ESSAYÉ DE LE RÉVEILLER, JE L'AI POUSSÉ, JE LUI AI DONNÉ DES COUPS DE PIED. MAIS RIEN NE MARCHAIT !

À LA FIN J'AI DÛ UTILISER CES CHOSES-LÀ !

DES BOUCHONS POUR LES OREILLES ?

EH OUI ! UN DANS CHAQUE NARINE...

ENCORE UN FILM ÉPEURANT ?

OH NON ! LE DRAIN EST ENCORE BOUCHÉ !

ET IL NE RESTE PLUS DE PRODUIT POUR DÉBOUCHER...

QU'EST-CE QUE TU FAIS ?

JE VERSE DU JUS DE PRUNEAUX DANS L'ÉVIER !

ÇA DÉBLOQUE TOUJOURS **MON** SYSTÈME...

MMM ! ÇA SENT BON ! QU'EST-CE QUE TU PRÉPARES ?

DES BISCUITS AU CHOCOLAT.

J'PEUX EN AVOIR UN ?

NON ! C'EST POUR LA VISITE !

JE T'EN PRIE, JUSTE UN TOUT PETIT BISCUIT... S.V.P. !

QUELQU'UN DEVRAIT EMBOUTEILLER L'ODEUR DES BISCUITS AU CHOCOLAT ! C'EST TOUT UN APHRODISIAQUE !

S.V.P. !

S.V.P. !

≋SMAK≋
≋SMAK≋

LA MEILLEURE FAÇON DE REPÉRER LES DANGERS POUR LES P'TITS ENFANTS, C'EST DE SE METTRE À QUATRE PATTES !

COMME ÇA, ON VOIT LES CHOSES AU MÊME NIVEAU...

AiiE!

BONK

ET ON PEUT VOIR EXACTEMENT OÙ UN ENFANT POURRAIT SE FAIRE MAL !

VRAIMENT, BEN ! TU DEVRAIS CHANGER LES COUCHES DE NICOLAS DE TEMPS EN TEMPS !

TU LE FAISAIS SI BIEN IL Y A TRENTE ANS.

ET DEPUIS QUE TU AS CHANGÉ TES LUNETTES TA VUE EST BONNE !

C'EST PAS MA VUE QUI M'INQUIÈTE...

BEN, TU VAS DEVOIR CHANGER SA COUCHE UN JOUR...

HMM?

J'EN SUIS ENCORE À OBSERVER CHAQUE DÉTAIL POUR MIEUX COMPRENDRE COMMENT FAIRE...

AU RYTHME OÙ TU APPRENDS, NICOLAS NE PORTERA PLUS DE COUCHES !

IL Y AVAIT QUELQU'UN À LA PORTE ?

VOILÀ ! UN ENVOI SPÉCIAL.

C'EST DE MON COURS DE PEINTURE PAR CORRESPONDANCE...

ÇA DOIT ÊTRE LA TROISIÈME LEÇON.

OLIVIA, JE PENSE QUE TU AS OUBLIÉ D'ARROSER TA PLANTE.

OH?

ON DIRAIT QU'ELLE RAMPE VERS L'EAU...

J'AI L'IMPRESSION QU'ELLE ESSAYE D'OUVRIR LE ROBINET !

ÇA FAIT LONGTEMPS QU'ON AURAIT DÛ PEINTURER CETTE SALLE DE BAINS !

QU'EN PENSES-TU, BEN ? AIMES-TU LA NOUVELLE COULEUR ?

EN TOUT CAS, ELLE S'AGENCE BIEN AVEC LE PLANCHER...

J'ADORE SORTIR DE TEMPS EN TEMPS POUR DÉJEUNER...

HMM?

ÇA FAIT DIFFÉRENT DE LA MAISON... LA CUISINE EST BONNE, LE CAFÉ EXCELLENT... QU'EN PENSES-TU, BEN?

SHELTON

BEN?... BEN?...

MMM...

SOUPIR LAISSE TOMBER... C'EST EXACTEMENT COMME À LA MAISON!

HMM?

BONJOUR! ICI LA RÉSIDENCE D'OLIVIA ET BEN HATLEY. ON NE PEUT RÉPONDRE AU TÉLÉPHONE PRÉSENTEMENT...

...JE SUIS PROBABLEMENT SORTIE FAIRE DU JOGGING OU ENCORE À MON COURS DE DANSE AÉROBIQUE.

SHELTON

JE SUIS PEUT-ÊTRE À MON COURS DE PEINTURE OU AU CENTRE DE BÉNÉVOLES...

BEN, LUI, EST PROBABLEMENT ASSIS SUR LE DIVAN À REGARDER LA TÉLÉ ET NE VEUT PAS SE LEVER POUR RÉPONDRE... ALORS VEUILLEZ LAISSER UN MESSAGE.

OLIVIA, ATTENDS! J'SUIS FATIGUÉ! J'PEUX PLUS CONTINUER...

PANT

PANT

SHELTON

JUSQU'OÙ VEUX-TU COURIR COMME ÇA?

PANT PANT

AU MOINS JUSQU'AU BOUT DE LA COUR!

OH! ...

REGARDE TOUS CES GENS QUI S'EN VONT TRAVAILLER EN VOITURE ...

AVANT, J'ÉTAIS COMME EUX ... CHAQUE JOUR À TRAVAILLER AU BUREAU, IMPLIQUÉ DANS DES DÉCISIONS IMPORTANTES, UTILES À LA SOCIÉTÉ ...

SOUPIR ...

ET BIEN, ENCORE UN TRAFIC MONSTRE CE MATIN! UNE HEURE D'ATTENTE AU PONT CHAMPLAIN, L'AUTOROUTE 20 EST BLOQUÉE SUR 2 KM ...

PAUVRES MECS ...

BEN, JE TRICOTE UN CHANDAIL POUR MAMAN. POURRAIS-TU ME SERVIR DE MODÈLE POUR LES MESURES ?

OK, ATTENDS UNE MINUTE ...

VOILÀ, JE SUIS PRÊT !

NEZ ! NEZ !

C'EST BEAU! QUEL GARÇON INTELLIGENT !

ET ÇA, QU'EST-CE QUE C'EST?

O'EILLE !

ET ÇA ?

YEUX ! YEUX !

ET SUR LA TÊTE, C'EST QUOI ?

PAS CHEVEUX! PAS CHEVEUX !

J'SUIS DE RETOUR !

BEN, TU DEVRAIS VENIR AVEC MOI FAIRE DE L'AÉROBIE-- T'AS BESOIN D'EXERCICE !

PUFF PANT

TU PENSES?

M'MAN, C'EST INCROYABLE COMMENT LES GENS PEUVENT NOUS RÉPÉTER, QU'ON DEVRAIT AVOIR UN DEUXIÈME ENFANT !

DEPUIS QUE NICOLAS A EU 1 AN ET DEMI, ON NOUS DEMANDE TOUJOURS "C'EST POUR QUAND, LE PROCHAIN?"

OU : "EST-CE QUE NICOLAS VA AVOIR UN FRÈRE OU UNE SŒUR BIENTÔT ?"

C'EST VRAIMENT AGAÇANT !

LINDA, TU EN VEUX ENCORE ?

AAARRGH!!

MAIS QU'EST-CE QUE J'AI DIT ?

QU'EST-CE QUE TU PENSES DE CE DIVAN, BEN ?

... OU PEUT-ÊTRE CELUI-LÀ ?

CELUI-CI NE ME PLAÎT PAS DU TOUT...

J'ME SENS UN PEU COMME UN CAMÉLÉON !

QU'EST-CE QUI SE PASSE ? L'IMAGE A DISPARU ET J'PEUX PAS CHANGER DE CANAL !

CLIK CLIK

OLIVIA! J'COMPRENDS PAS CETTE MACHINE ! POURQUOI LES CHOSES SONT-ELLES SI COMPLIQUÉES AUJOURD'HUI ? FAUT ÊTRE UN EXPERT EN ÉLECTRONIQUE POUR --

OH... MERCI.

J'PENSE QUE J'AI UNE AUTRE RIDE ...

T'IN-QUIÈTE PAS, CHÉRI.

CHAQUE RIDE EST UN SIGNE DE TA MATURITÉ ET DE TA SAGESSE ! ELLES REPRÉSENTENT UNE VIE REMPLIE D'EXPÉRIENCES !

TU DEVRAIS EN ÊTRE FIER !

POURQUOI ALORS UTILISES-TU DES CRÈMES ANTI-RIDES ?

PARCE QUE MOI, J'AIME PAS ÇA ME VANTER ...

M'MAN, EST-CE QU'ON LAVE CE GILET AVEC LE LINGE BLANC OU LE LINGE DE COULEUR ?

BLANC.

ON A SÉPARÉ LA LESSIVE, MAIS IL RESTE UNE PILE, LÀ-BAS ?

ÇA, CE SONT LES BAS DE TON PÈRE ...

FAIS-MOI CONFIANCE, CEUX-LÀ, ON LES LAVE TOUJOURS SEULS !

QUEL TEMPS MISÉRABLE ! IL Y A DU VERGLAS PARTOUT.

TOUT EST GLISSANT-- ÇA PARAÎT DANGEREUX DE SORTIR DEHORS !

T'INQUIÈTE PAS, J'AI PENSÉ À QUELQUE CHOSE ...

J'AI ÉTÉ INSPIRÉ PAR NOTRE BAIGNOIRE !

IL Y A DES GENS QUI RAMASSENT LES FEUILLES DÈS QU'ELLES TOMBENT AU SOL.

MAIS PAS MOI ...

JE PRÉFÈRE ATTENDRE QU'ELLES SOIENT TOUTES TOMBÉES !

'JOUR, CHÉRI.

BONJOUR.

TU SAIS QUOI ? J'VIENS TOUT JUSTE DE RÉALISER QUE ÇA FAIT PLUS DE 40 ANS QUE JE DOIS M'ÉPILER OU ME RASER !

J'PENSE QUE C'EST LE TEMPS QUE J'ARRÊTE ! QU'EST-CE QUE T'EN PENSES ?

C'EST UNE BONNE CHOSE QUE JE SOIS PRESBYTE ...

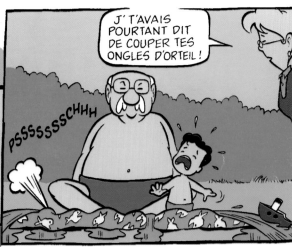

DANS LA MÊME COLLECTION

LINE ARSENAULT
SÉRIE LA VIE QU'ON MÈNE:

La vie qu'on mène
C'est à quel âge la vie?
Vaut mieux être heureux
Chacun son île

RAYMOND PARENT

Culbute

SÉRIE BIBOP:
Et que ça saute!

MARIO MALOUIN

Le monde de la télé

BRUNO & GILLES LAPORTE

Rupert K.

SERGE FERRAND

Les Vaginocrates

À PARAÎTRE

BRUNO & GILLES LAPORTE
Rupert K. II

Ce livre a été achevé d'imprimer
aux presses de Litho-Mille-Îles Ltée
en mai 1998